volume 3

SAKI HIWATARI

Sommaire

Magie intérieure 3 .... Page 3

Collection
des dessins de couverture .... Page 183

Magie Intérieure!

Présentation des personnages

- Cosmos in Children -

Haruko Morimiya : collégienne en première année qui a hérité des pouvoirs magiques de sa mère décédée.

Silk : messager des dieux de Haruko. Il communique avec elle dans ses rêves, et pratique la divination.

Kô Kinosaki : collégien en deuxième année, il a déclaré qu'il allait protéger Haruko.

La mère de Haruko : elle a transmis juste avant de mourir son nom de sorcière, cynthia, à sa fille âgée de 8 ans.

Chika Toyoda : petite et belle, elle est la première amie que Haruko se soit faite au collège.

Renon Takioka : petit-fils de l'administrateur général, et collégien en deuxième année qui a la cote auprès des filles.

Akane Kirishima : deuxième amie de Haruko, elle admire Kinosaki-senpai.

Kodemari Takamiya : collégienne qui se dit "sorcière" et amie d'enfance de Kinosaki.

✡·✡·✡·✡·✡·✡·✡·✡·✡·✡·✡·✡·✡·✡·✡·✡·✡

Haruko Morimiya, jeune fille un peu timide, est en première année de collège. Peu avant le décès de sa mère, elle a hérité du nom de sorcière de celle-ci ainsi que de son chat, Silk, messager des dieux. Mais pour l'instant, elle ne sait se débrouiller avec tout cela même si Silk n'arrête pas de l'encourager.

Après une victoire à l'école, Haruko est victime d'humiliations et de lettres lui demandant de chasser la "sorcière". Aidée par Kinosaki-senpai, son protecteur, ainsi que par Chika et Akane, ses amies de classe, elle fait la connaissance de Kodemari... la soi-disant "sorcière". Mais Kinosaki se fait trahir par Takioka son meilleur ami qui le met sur la sellette à cause d'une autre élève.

C'est ainsi qu'il avoue être le deuxième messager des dieux de Haruko !! Haruko, troublée par Kinosaki après cet aveu, doit maintenant faire face à la déclaration de Takioka qui se prétend le coupable !

✡·✡·✡·✡·✡·✡·✡·✡·✡·✡·✡·✡·✡·✡·✡·✡·✡

Intervalle 1/4

-1-

Bonmiaou !
... Miaou

Avez-vous déjà
été victime
d'ijime ? ... Miaou
Hiwatari l'a été !
... miaou ...
Pou aussi ! et
ses assistants
plus ou moins !!
miaou

En fait, Tamie pense
tous les jours être
victime d'ijime !

Miaou...
c'est
bizarre!
miaou

...
N'EST-CE
PAS

MAMAN
...!

... QU'ELLE HABITE CHEZ SA TANTE, ET VIENT DANS CE COLLÈGE !!

ET PUIS SON PÈRE TRAVAILLE À L.A*
...

C'EST POUR ÇA
...

SA MÈRE EST MORTE, IL Y A LONG-TEMPS
...

* Los Angeles

...
ÇA NE DOIT PAS ÊTRE DRÔLE POUR ELLE !

...
CETTE FILLE VIT SA VIE COMME

MAIS QU'AS-TU
...

RENON-CHAN ?!

JE SAIS QUE CETTE FEMME A TRANSMIS SON DON À SA FILLE ...

"SI UNE SORCIÈRE TRANSMET SA FORCE À UNE AUTRE PERSONNE, SON MESSAGER DOIT AUSSI ACCOMPAGNER SON SUCCESSEUR"

DEPUIS CE JOUR ...

J'AI APPRIS À TRAVERS DES LIVRES QUE ...

CAR PAR HASARD, CE JOUR-LÀ ...

J'AI ÉTÉ TÉMOIN DE CETTE SCÈNE ... !

HÉ, TAKIOKA !

CIAO ... CIAO !

SALUT

HARUKO-CHAAAN !!

AH ... TAKIOKA-SENPAI !

Intervalle 1/4

- 2 -
La logique de l'ijime est un mystère.

C'est comme un schéma mental particulier qui s'installe entre le coupable et la victime, miaou... une sorte de réaction chimique ! c'est bizarre, miaou...

Par exemple, pour le cas de Tamie,

les coupables pour elle sont humains en général... mais les humains ne s'en rendent pas compte du tout ! ...miaou

...

Sourire

ON PEUT SORTIR ENSEMBLE !?

TA...

NON ... RIEN DU TOUT !

...TÄKIO-KA-SENPAI !!! ... QUE VOUS ARRI-VE-T-IL ?!?

ÊTES-VOUS
ENSEMBLE,
OUI OU NON
...
?!

SOUPIR

"JE
T'AIME,
HARUKO-
CHAN..."

MAIS
...

EST-CE
QUE
TAKIOKA-
SENPAI
M'AIME
VRAIMENT
?!

...
JE N'EN
SUIS PAS
SI SÛRE
!

TU N'ES PAS AU COURANT ?

BEN NON ! ... RACONTE !!

MESSAGER ? ... QU'EST-CE QUE C'EST ?

HA !

JE VOIS ... TU PARLES DE CETTE FILLE-LÀ !

HARUKO EST UNE SORCIÈRE ET KÔ-KUN SON MESSAGER !

UN MESSAGER DES DIEUX SERT UNE SORCIÈRE

C'EST CELLE QUE MON FRÈRE POURSUIT TOUT LE TEMPS ...

MAIS TOUTE L'ÉCOLE EST AU COURANT, ALORS ?

DIS, C'EST QUOI LE DÉBUT DE L'HISTOIRE ?

... RACONTE-MOI !?

SI JE T'EN PARLE ... ON POURRA SE REVOIR ?!

JE RIGOLE ! ... NON EN FAIT, JE SUIS SÉRIEUX !

HI HI HI

ÇA MARCHE !

TU ES TRÈS PROCHE DE CHIKA-CHAN ?

NORMALEMENT, AU COLLÈGE ON A DES AMIS DU PRIMAIRE ...

MAIS COMME JE SUIS ICI À CAUSE DU TRAVAIL DE MON PÈRE ... MOI, JE N'EN AI PAS ...

LA GENTILLESSE DE M'ADRESSER LA PAROLE !

ET CHIKA-CHAN A EU ...

Intervalle 1/4

- 4 -

TAN-CHAAAN !

PFF

PFF

PFF

Ce n'est qu'un incident minuscule... mais pour tamie, c'est déjà un véritable iujme ! ... miaou

Seulement, ne vous inquiétez pas ! ... elle redevient tout de suite une chatte câline ! ... miaou

RON RON

RON RON

EH BIEN ...

SAVEZ-VOUS POURQUOI IL EST LE MESSAGER DE HARUKO-CHAN ?

... LA VÉRITABLE RAISON !?

BEN OUI ... NOUS LE SAVONS DÉJÀ !

C'EST ...

PARCE QU'IL ÉTAIT LE MESSAGER DE SA MÈRE ...

Intervalle 1/4

- 5 -

Du reste, quand on parle de la société humaine, cela devient plus compliqué ! ... miaou

Si on travaille dans une entreprise, on peut démissionner ! ... En revanche, si on va à l'école, on ne peut pas ! ... miaou à mon avis, beaucoup d'élèves pensent qu'ils ne peuvent pas quitter leur école ! ... miaou et beaucoup plus tard, ils se rendent compte que cela aurait été possible... miaou !!

JE SUIS BÊTE ...

MOI !

... JE NE COMPRENDS

PLUS RIEN ...

RIEN DU TOUT !

AUSSI
KINOSAKI-
SENPAI
...

LA MALADIE
DE MAMAN
CONCERNAIT
...

...
MAMAN
...

CE
N'EST
PAS
VRAI
...

151

CE
N'EST
PAS
BIEN
POUR
TOI
!

...
VRAIMENT
PAS
!

CE
N'EST
PAS
BIEN
!

...
PAS
BIEN
COMME
ÇA
!

BLONG

HÉÉÉÉ !
... ÇA ME TRACASSE !!

ET SI JAMAIS ...

GROUILS

WATARU !

T'ES SÛR D'AVOIR VU TOYODA ENTRER CHEZ TAKIOKA ?!

QU'Y A-T-IL GRAND FRÈRE ... ?

TAKIOKA ET TOYODA SONT ENSEMBLE ...

HARUKO SERA ...

ENCORE !?

QUOI ooo ?

POURQUOI ?

QUELLE EST TA RELATION AVEC ELLE !?

... JE SUIS PRÊT À TE FRAPPER SELON TA RÉPONSE !!

175

Magic Intérieure vol. 3/Fin

Collection
des dessins de couverture

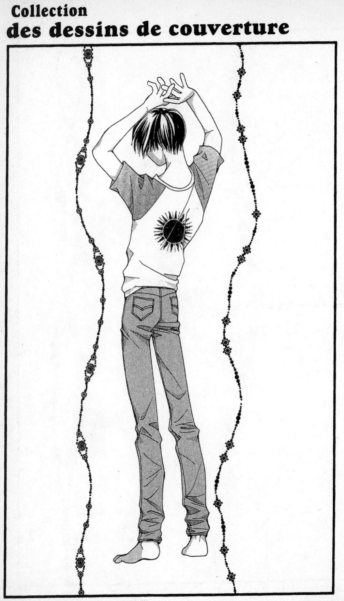

CLÉS DE COMPRÉHENSION

GUÉRISSEUSE ★ PAGE 16

Le mot « iyashi » peut se traduire par « guérisseuse », mais il veut plutôt dire « quelqu'un ou quelque chose de reposant ». Il y a quelque temps, ce mot était devenu très à la mode car les Japonais avaient besoin de réconfort dans leur vie quotidienne. Cela a donc généré un développement commercial de produits qui permettaient de se sentir dé-stressé. Beaucoup d'actrices, de chanteurs ou de chansons ont été caractérisés comme « iyashi-kei », c'est-à-dire d'un « genre reposant » - comme s'ils avaient le pouvoir de guérir du stress quotidien.

KINOSAKI / HARUKO MORIMIYA ★ PAGE 21-23

Quelquefois, l'absence d'un suffixe de politesse peut signifier le manque d'estime que l'on porte à quelqu'un, alors qu'en temps normal il est le signe d'une amitié très proche.

GRAND-FRÈRE ★ PAGE 34

Entre frères et sœurs, les plus grands appellent les petits par leur prénom. En revanche, les petits appellent toujours leurs aînés par le titre de « grand-frère » ou « grande sœur ».

MÉNAGE ★ PAGE 65

Dans les écoles japonaises, du primaire au lycée, les enfants font tous les jours le ménage de leur salle de cours, des couloirs et des salles dévolues à la chimie, au dessin ou à la musique. Cela fait partie de l'apprentissage et de la discipline : il est naturel que les élèves contribuent à la propreté des lieux qu'ils utilisent quotidiennement.

TUTOIEMENT ★ PAGE 66

Les premières paroles adressées à un inconnu sont normalement accompagnées du vouvoiement. On l'utilise pour parler à des personnes plus âgées que soi, ou à des inconnus. En revanche, quand on a le même âge, il est très facile de se tutoyer tout de suite. C'est pour cela que, après l'avoir reconnue, Wataru tutoie très vite Chika.

ÉCOLE PRIMAIRE ★ PAGE 66

Au Japon, l'école primaire regroupe six niveaux, de la première à la sixième année, et accueille les enfants de sept à douze ans. L'année scolaire japonaise commence en avril et se termine en mars.

UNIFORME ★ PAGE 67

Au Japon, presque tous les collèges et lycées ont leur uniforme. On les achète dans certaines boutiques mandatées par les écoles. Avant la rentrée, l'école peut aussi organiser une journée porte ouverte pour les nouveaux élèves et leurs parents, où il est possible de commander sa tenue. Pour ceux qui n'en ont pas les moyens, on fait appel à la solidarité en recyclant des vêtements déjà portés. Cet uniforme ne doit pas être retouché, et il est interdit de porter des accessoires superflus tels un collier, une broche ou un écusson. Il y a quelques années, le code vestimentaire de certains établissements était très strict : les jeunes filles devaient couper leurs cheveux de telle sorte qu'ils ne touchent ni les épaules, ni les cils. Ne parlons pas des teintures ou des permanentes, absolument proscrites ! Aujourd'hui, les mœurs changent et s'assouplissent...

KÔ-KUN ★ PAGE 71

Chika appelle Kinosaki « kô-kun » pour masquer ses véritables sentiments et montrer à Wataru qu'elle pourrait être proche de son frère.

COMMISSAIRE DE BIBLIOTHÈQUE ★ PAGE 107

Chaque collégien peut endosser plusieurs responsabilités au sein de son établissement ou de sa classe, dans le cadre d'un service rendu à la classe. Le rôle de « commissaire » est l'un des rôles les plus importants du collège. Il existe dans différents domaines comme la santé, le sport, les achats, la diffusion d'émissions, etc. Par exemple, le commissaire de bibliothèque s'occupe du prêt et du rangement des livres.

SENBEI ★ PAGE 158

C'est une sorte de biscuit à base de riz qui a le goût de la sauce de soja. Sa forme et son goût varient beaucoup (sauce de soja, sucre, algue, poudre de soja, etc.). Les enfants préfèrent peut-être les biscuits occidentaux, mais les « senbei », qui sont les biscuits traditionnels japonais, sont néanmoins toujours appréciés.

FLEUR ET RÊVE ★ PAGE 183

Magazine de shôjo manga, il paraît 2 fois par mois au Japon. Souvent accompagné d'un petit cadeau promotionnel, « Hana to yume » vaut 280 yens (2,33 €). Y sont prépubliées des histoires de 23 ou 24 pages, des entretiens avec certains auteurs, et on y échange des idées et des impressions concernant les livres parus. Les « Intervalles » de Magie Intérieure ! (et de façon générale, les encarts que l'on trouve dans chaque manga où l'auteur dialogue avec ses lecteurs sur des sujets personnels) correspondent aux espaces réservés, lors de la publication en magazine, à la promotion de nouveaux livres.

Un regard sur la vie scolaire au Japon

★ L'école est-elle gratuite et obligatoire pour tous ? Jusqu'à quel niveau d'étude ?

L'école est obligatoire du primaire au collège, c'est-à-dire de sept à quinze ans. En règle générale cette éducation est gratuite. On peut cependant préférer un établissement privé où l'éducation est payante.

En revanche, on paie l'enseignement du lycée et des universités, même s'il s'agit d'un établissement public. Par exemple, un Japonais faisant ses études en France paiera 100 euros par an pour l'université, alors qu'au Japon il paiera 5000 euros pour la même formation. S'il s'agit d'une école privée, c'est hors de prix ! Les études supérieures au Japon coûtent très cher.

★ Après l'enseignement au collège, tous les élèves rentrent-ils au lycée, ou existe-t-il des écoles plus spécialisées ?

Presque tous les élèves entrent au lycée. Ces établissements ne recueillent plus seulement les élèves du quartier. En fonction de leur niveau et spécialité, ils choisissent le lycée qui leur convient le mieux.

Cependant, certains se lancent tout de suite dans la vie active, ou choisissent une école spécialisée pour y apprendre un métier, par exemple infirmière ou coiffeur. Mais on peut également y entrer après le lycée.

★ L'enseignement y est-il le même pour tous ou existe-t-il des sections littéraire, économique, scientifique comme en France ?

Quand on dit « lycée », on parle de lycées d'enseignement général, mais il existe aussi des lycées spécialisés. La majorité des enseignements sont communs, et pendant que les littéraires suivent un cours d'histoire, par exemple, les autres suivent un cours de géographie.

Pour les cours de gymnastique, on sépare les filles des garçons à partir du collège.

★ Comment est rythmée la journée d'un écolier ?

À l'école primaire, les enfants arrivent à 8h 30. Les parents ne les accompagnent pas, et chaque enfant se rend à l'école avec ses frères et sœurs, ou avec ses amis.

Au début de la matinée, pendant la réunion des professeurs, les écoliers travaillent sur des exercices que leur instituteur a préparés. Les cours commencent donc réellement vers 9 heures. Un cours dure 45 minutes. Vers 10 heures 30, ils ont une récréation de 20 minutes, puis encore deux cours, avant le déjeuner.

À midi, ils mangent avec leur professeur. Des personnes employées par l'école préparent les repas, chaque école possédant une immense cuisine. Chacun mange dans sa classe, les enfants ont 15 minutes pour organiser leur repas et 20 minutes pour déjeuner.

Au lycée en revanche, on peut trouver une cantine, voire un magasin situé dans l'établissement où l'on peut acheter des pains et des boissons.

Après le repas vient l'heure du ménage, suivie d'une récréation. L'après-midi, il y a un ou deux cours, mais souvent le second est réservé à d'autres activités culturelles ou sportives, comme celles des commissaires.

Pour les petits, la journée s'arrête au premier cours de l'après-midi, vers 2 heures. Comme à l'aller, ils rentrent tout seuls comme des grands. Beaucoup d'enfants ont encore des activités après la classe.

Certains suivent des cours de maths ou d'anglais ; d'autres pratiquent la natation, la danse classique, la musique ; et si un enfant cherche à intégrer un collège privé de bon niveau, il devra suivre beaucoup de cours supplémentaires jusque tard le soir, dans un autre établissement.

★ **Le premier volume, en page 80, décrit une réunion durant laquelle les collégiens doivent choisir une activité. Quelles sont-elles ?**

Des activités sportives comme le base-ball, le foot, le tennis, l'athlétisme, la natation, le handball, le volley, le judo, le karaté... mais aussi des activités culturelles comme la photo, les arts plastiques, la musique, le chant, la chimie... Cela s'appelle « bukatsu » en japonais.

Le temps réservé au « bukatsu » est souvent le plus important de la vie scolaire et personnelle des élèves.

Ces activités se pratiquent en dehors des cours, avant, après l'école ou pendant le week-end. Elles sont animées par les professeurs au sein même de l'école.

★ **Le concours de « Luck Winner » (cf. volume 1) est-il organisé dans chaque école du Japon ?**

Durant l'année ont souvent lieu des festivals, qu'ils soient sportifs ou culturels (pièces de théâtre, musique) : un festival d'art appliqué peut aussi être organisé.

Ces manifestations sont ouvertes à tout le monde, parents, élèves, voire simples voisins de l'école.

Cosmo na Bokura ! - by Saki Hiwatari
© Saki Hiwatari 2000
All rights reserved.
First published in Japan in 2001 by Hakusensha Inc., Tokyo
French language translation rights in France arranged by Hakusensha Inc.,
Tokyo through Tohan Corporation, Tokyo
Supervision éditoriale : Akata

© 2003 Guy Delcourt Productions pour la présente édition.
Dépôt légal : janvier 2003. I.S.B.N. : 2-84789-166-8

Traduction : Yuko. k
Adaptation : Sara Centonze
Lettrage : Betty C.
Conception graphique : Trait pour Trait

Imprimé et relié en décembre 2003
sur les presses de l'imprimerie Aubin, à Ligugé.

www.akata.fr
www.editions-delcourt.fr